JULIUS POLÁČEK:
PÍSNĚ A PÍSNIČKY
VERŠE EROTICKÉ.

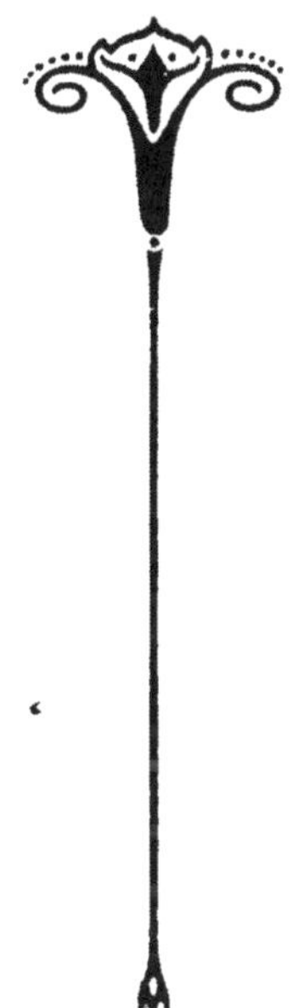

V PRAZE 1914.

NÁKLADEM VLASTNÍM.
TISKEM OT. JANÁČKA V PRAZE-II.,
PALACKÉHO ULICE 11.

PÍSEŇ LÁSKY.

Mně v ústret dost žen sličných, svůdných přišlo,
jež oddaly se lásce v loktech mých.
Však loutky krásné záhy svšedněly mi,
prch' vášně žár, zbyl spleen a hořký smích.

Až Ty's mi v cestu přišla, Požehnaná,
Tv, milenka a sestra dávných snů,
již po léta jsem hledal v marné touze,
k níž v adoraci ruce své teď pnu.

Já čarný obraz Tvůj jsem v srdci nosil,
tvář Madonny a duši bělostnou,
na ňadrech Tvých, k Tvé šíji žhavě přissát,
chci slední zpívat píseň milostnou.

JSI JEŠTĚ DÍTĚ SKOREM...

Jsi ještě dítě skorem a přec žena,
jež mládím svým a krásou zmámit musí.
Ach, marně rozum city lásky dusí,
je krev má blízkostí Tvou rozbouřena.

Vře žárem žhoucím, po úkoji sténá.
Zda polibky Tvé uklidnit ji zkusí
a srdce zcelit rozdrásané kusy,
zda zhojí čarný zvuk je Tvého jména?

Zve v lože svatební stráň za večera,
jež hebký polštář milencům tu stele.
Pojď, pojď, ó Sladká, v lokty moje schvělé,

stře tma již ochranná svá křídla šerá.
Tvé tílko panenské chci líbat dlouze...
Přej balsám omamný mé horké touze!

PÍSEŇ ŽIVOTA.

Aleje šeré v nyvém ji echu
    zpívají,
    mladí když lidé v hebkém se mechu
    líbají.
Se smíchem na rtech milenci jedni
    lehají,
po noci bouřné s lože až ke dni
    vstávají.
Jiní se marně stravují v touze
    mučící,
noci jich zvolna vlekou se, dlouze
    vraždící.
Mysticky sladká, slyš, sfér zní hudba
    z daleka:
Splynutí s ženou muže je sudba
    odvěká!

DĚVČE S RUDOU STUHOU.

Děvče s rudou stuhou v černém bujném vlasu,
chtěl bych lačným retem pít Tvou nahou krásu.
    V květech fial pod očima
    smyslná tak vášeň dřímá.
Po Tvém mladém těle, ňader sněžném jasu,
po rtech Tvojich růžných, po Tvém sladkém hlasu
    tolik nocí v touze šílím,
    na loži svém sirý kvílím.

Těžká stře se večer sadem, strání vůně.
Po Tobě mé srdce lásky touhou stůně.
    Uzdravíš je Ty jen zcela,
    přižhneš-li se ke mně schvělá.
Beze svědků spolu, bez pomp, bez žehnání,
svatbu slavit budem v hebké, měkké stráni,
    s Tvojí splyne krev má vřelá,
    s Tvojí bytost moje celá.

PÍSEŇ CHUDÝCH MILENCŮ.

Jsi všecko mé štěstí, jsi celý můj svět,
z té duše Tě, milko, mám rád!
Byť život můj plný byl strázní a běd,
chci směle se s životem rvát!

To pro Tebe, miláčku, svět jež jsi můj,
jíž blankyt bych s oblohy snes'.
Ve příboji žití mi po boku stůj,
pak zdolám vše hrůzy i děs!

— Mé srdce přec, hochu můj, dávno již máš,
též zdravé dvě ruce mé měj!
Mou horoucí oddanost, věrnost přec znáš,
tož s Tebou se žitím bít přej!

Byť komůrka prostá náš tvořila ráj,
my šťastni v něm budeme dosť,
snad šťastnější, panská než v paláci láj,
a později teprv až host

k nám zavítá maličký, děvče či hoch,
my štěstí své vzkřikneme v svět.
Jak, hochu můj jediný, zoufat bys moh',
když v boji Ti žehná můj ret!

SVATEBNÍ.

Měj dík muj celý, sladká moje ženo,
za všechnu lásku, oddanost a něhu,
za sílu ve mne víru Tvou, již doma
Ti úšklebky a hrubstvím strısnit chtěli.
V své lásce [illegible] jen pevně,
ž [illegible] du Te [illegible].
[illegible] duš Tvoji mrzačili,
když [illegible] tkaní lživou.
Z [illegible] z dusných koutu,
[illegible] pujdem,
[illegible] na rtech píseň lásky,
[illegible] na zlobná,
[illegible] jim zcál [illegible]
[illegible] lásk [illegible]

MILOSTNÁ.

Má sladká mladá ženo,
na hruď mou hlavinku schyl,
mně krása Tvá nejdražší věno,
žít pro Tvé štěstí můj cíl.

Až vrátíme v jizbu se chudou,
když dřeli jsme celičký den,
nám v síňce růže kvést budou,
snít budem lásky své sen.

V Tvých měkkých loktech bílých
je zapomnění všech běd,
a strázně v těžkých dne chvílích
mně slíbá s čela Tvůj ret.

Buď požehnán žití plod Tvého,
má Madonno, v těžkých Tvých dnech,
pro štěstí Tvé, pro štěstí jeho
se bít chci po slední svůj vzdech!

MILOVÁNÍ.

Tak se [illegible]t, mazlit zná
[illegible] zlatá,
[illegible] ještě víc,
[illegible] vrata!

[illegible] Vacírad,
[illegible] dol[e]
[illegible]
[illegible] pole.

[illegible]
[illegible]
[illegible]
[illegible]

[illegible] Teb[e]
[illegible]
[illegible]
[illegible]

NA ROZCHODNOU.

Došel dopis od mé milé,
Lásky mojí slední,
jímavý a teskný dopis,
prostý, ne však všední.

Loučí se v něm navždy se mnou,
otec že jí brání
v nezákonném, bezobřadném
se mnou milování.

Nechci, milá, na hlavu Tvou
otcovu snést kletbu,
želím jen, že bezplodnou jsem,
marnou zasil setbu.

Jiný přijde, nabídne Ti
sňatek, snad i statky,
zapomeneš, že jsme snili
lásky sen tak sladký!

HRA MILENCŮ.

V neděli jsem psal jí na rozchodnou,
v pondělí však pneumatické psaní
srdce mého poslala mi paní,
v hodinu bych čekal na ni vhodnou.

K[illegible] svýma ruce,
[illegible] se k[illegible] mně [illegible]neji,
[illegible] ní svém srdce její,
v[illegible] rozkoši i v muce.

[illegible] dnou z[illegible] Tvoji,
n[illegible] myslu [illegible] rozehvěn,
[illegible] m ve souznění
[illegible] budiž v žití bou"

VYZNÁNÍ.

Lásko má nejsladčí, ženo má krásná a silná,
    jak se Ti odvděčit za všechnu oddanost Tvou?
    Objetí vášnivá, horoucí, smyslná, vilná,
v náruč Tvou sladkým se žárem spít vábně mne zvou.

Po Tobě, Nejdražší, v tesknotě srdce mé sténá,
po horkých pocelech Tvojich žhne v touze můj ret,
vím, že's mi vším, že's mi družka i milenka — žena,
duše mé součást že Tvá je, že's celý můj svět!

O ZAŠLÉ LÁSCE.

I

B[illegible] bíval,
[illegible] stal,
[illegible]
[illegible]
[illegible]

[illegible]
[illegible]
[illegible]
[illegible] prošel,
[illegible]

II.

Nemohu Tě zapomenout, moje milá,
žalem puká srdce, že se nevracíš,
skutečností zdrcen, cítím, čím's mi byla,
k smrti jsem Tě rád měl, Bože, ty to víš!

Dost jsem hoře zkusil ve svém žití bídném,
ale tahle bolest nejkrutší je z všech.
O štěstí jsem s Tebou slunném snil a vlídném,
prch' sen v nenávratno, zbyl jen stesk a vzdech...

III.

Odešla's mně, bys jinému kvetla.
	Měl jsem Tě rád, jak možno jen.
	Vzpomínka v srdci zbyla mi světlá,
prch' navždy v dál mé lásky sen.

Smutek pad' černý na dno mé duše,
na Tvoji zradu žaluji,
v jiného loktech tělo Tvé tuše,
peklem se muk svých stravuji.

IV.

Oželel jsem milou, na vždy rozloučil se
s illusí tou sladkou, že mi bude ženou.
V srdci mém cos puklo, žal v něm rozhostil se
nad ztraceným štěstím, láskou nad zhrzenou.

Tvoje bílé tělo jiný svým zvát bude,
nahá krása Tvá mu ráje skytne slasti,
zatím co mřít budu hořem v jizbě chudé,
jiný Tvou mi lásku hříšně bude krásti!

V.

Nesnesu hrozná ta muka již déle,
    že by Tě jiný směl ještě mít rád,
    sám chci mít duši i tělo Tvé cele,
byť něčí život snad mělo to stát!

Vytrpěl dost jsem již, viď, moje srdce,
mnohou noc probděl a po Tobě lkal,
naposled k Tobě teď spínám své ruce:
vzdej se mi celá a skonči můj žal!

Pro Tebe doved' bych někoho skláti,
jenž by mi lásku Tvou hříšně chtěl vzít.
S Tebou jen slunce mi štěstí můž' vzpláti,
bez Tvojí lásky však nelze mi žít!

VI.

Jak na ostří nože je v srdci mi, v duši,
    v dnech mučivě dlouhých jen hoře mé větší.
    Že's jinému vzdala se, srdce mé tuší,
a svíjí se bolestí sténajíc v křeči.

Ne, nikdy se nevrátíš, nač věřit ve sny,
jež kouzlí mi za nocí obraz Tvůj čarný.
Zřím v samotě siré, jak život můj děsný,
jak bez Tebe zoufale prázdný a marný!

VII.

Ztichla píseň melodicky sladká,
žhnoucí ať v ní žár plál, ať se chvěla
  smutkem, jemuž propadal jsem zcela,
setkání když chvíle prchla krátká.

Nepřicházíš. V horečné Tě touze
stále čekám za šera i za dne.
Srdce moje beznadějně chřadne,
uzdravit je můžeš Ty mně pouze.

V snění dumám o těch dobách čarných,
oddaně když tulila ses ke mně.
Jak by vábil hlas mne z černé země:
Pojď, když vzdal ses illusí svých marných!

VIII.

Naše chudá láska záhy umřela.
Nemohu ji posud v srdci oželet.
Píseň sladké touhy navždy dozněla.
Nebudu tu píseň nikdy již Ti pět.

Jenom s Tebou moh' jsem v žití šťasten být.
Duši mojí rozlet Tys jen mohla dát.
Na dně srdce hasne slední lásky svit.
Chtěl by ještě v posled aspoň jednou vzplát!

IX.

Odešla's a nevrátíš se víc.
  A já v hoři beznadějně zmírám,
  z očí pláčem rudých slzy stírám,
smutek bezdný stopy ryje v líc.

S Tebou zašel štěstí mého svit.
Skutečnost mi hrozná v duši zbyla,
jak's mne s chladným srdcem, zrádná milá,
bezcitně tak mohla zahubit!

X

Já Lásku svoji navždy pochoval,
  s ní naděje své, sny a všecko štěstí.
  V mém srdci těžký rozhostil se žal,
v něm nová láska sotva můž' kdy zkvésti.

Ji nade vše jsem v světě miloval,
jí s nebes blankyt snésti chtěl jsem k zemi,
šla s jiným zrádně Láska moje v dál,
když vzpomenu jí, k smrti smutno je mi...

Napsala mi lístek, jen tři, čtyry řádky.
Prosí v něm, bych zapřel, že jsem ji měl rád,
zkáza že jí hrozí, rozvod s mužem snad.
A já oplakal jsem dávno sen svůj sladký.

Vzpomínám jen v slzách na čas lásky svojí.
Před půl rokem jsem své milé s bohem dal.
V srdci po ní nosím bezútěšný žal.
Sotva nová láska ránu mou kdy zhojí.

Pro jiného kvetla, setba moje marná,
před zákonem patří muži svému jen,
sny a touhy žhnoucí větrům dal jsem v plen,
na vždy prchla doba štěstí mého čarná.

MÉ LÁSCE.

Zpit krásou Tvých očí jsem za Tebou šel,
v nich kouzlo se mystické chvělo,
já smutek v nich bezdný i smyslnost zřel,
jíž nádherné Tvoje žhlo tělo.

A v loktech Tvých bílých jsem o štěstí snil,
o věrnosti lásky své slední,
sen ňejsladčí přissát k Tvým ňadrům jsem žil,
Tě miluji víc ze dne ke dni!

PÍSEŇ.

Své nejkrasší písně Ti posvětím,
má nejsladčí milko a ženo,
že's Láska má poslední, přísahám
při všem, co mnou svatým je ctěno.

Tvé nádherné tělo smím zváti svým,
Tvé srdce když dávno jsem získal,
své štěstí chci s jásotem vykřiknout,
já radostí, blahem bych výskal.

Mně věrnou buď do skonu, Lásko má,
buď andělem strážce mi v žití,
nechť v strázni dnů ponurých majákem
Tvá láska mi do temnot svítí!

SRDCE A DUŠI...

Srdce a duši Jsi dala mi včera,
oddaně tisknouc k mé hrudi svou hruď,
ulice tichá a důvěrně šerá,
milenci vděčnými žehnána buď!

Bylo to slavnostní splynutí duší,
krvi mé žhoucí jež v žár dalo vzplát,
v loktech Tvých měkkých slast mystickou tuší
srdce mé lačnící na Tvém se hřát.

Vášnivě přissát k Tvým ňadrům a šíji,
nejkrasší písně chci Tobě jen pět,
zoufale marné dny bez lásky žiji,
láska Tvá v ráj změní smutný můj svět!

ANUŠI, ŽEHLÍŘCE.

Žehlířko má s nádhernými tvary,
smyslný jíž plam hrá ve očích,
pro Tebe žhne krev má vášně žáry,
celou mít Tě, zločin zda či hřích?

Srdce moje po Tobě mře v touze,
v bdění, snách se spíjí zjevem Tvým,
sympatií za vděk vzít mám pouze,
lhostejno Ti, že se usoužím?

Anušo má, žehlířko má krásná,
pro niž vzplál jsem v prvém setkání,
nad harmonií Tvých tvarů žasna,
kdo nám v světě v lásce zabrání?

K nožkám Tvým chci snésti modro s nebe,
jediné splň přání horoucí:
Přej mi v nahé kráse zlíbat Tebe,
ret na rtu a srdce na srdci!

CUKRÁŘCE ZLATOVLÁSCE.

Cukrářko má se zlatými vlasy,
s okem divné, pohádkové krásy,
bledé Svoje líčko přej mi celovat!

Ňader Tvojich vlny vábně dmou se,
v srdci lásky lačném touhy strou se,
smím Tě, sličné dítě, trochu míti rád?

Chtěl bych v útulném svém pokojíku
nejsladčí pít nektar se Tvých rtíků,
k bílé Tvojí šíji přissát roztoužen.

Chtěl bych, aby nádherné Tvé tělo
v šeru jizby úbělem se skvělo,
ze Tvých měkkých loktů vstát, až vzejde den!

MÁ MILÁ, CO TO V OČÍCH MÁŠ...

Má milá, co to v očích máš,
že v jícen bezdný smeť
mne ohně žár, jenž hoří v nich,
že v srdci již jsem spáchal hřích,
než dotk' se Tě můj ret.

Má milá, oh, jak líbat znáš
a tisknout v loktech Svých.
Mně krve proud trysk' ze všech žil,
já duši byl bych vypustil
a pykal za svůj hřích.

V Své bílé kráse do tmy pláš,
jež stře se v jizbě mé,
ó nech mne ve Své náruči,
nechť do skonu mne umučí,
Ty sladké dítě mé!

MÁ KRÁSNÁ PANÍ.

Má krásná paní, horoucně již vzývám,
Vám píseň lásky nejsvětější zpívám,
u nohou Vašich kleče do skonání:
mně věrna buďte věčném v milování!

Když hledím v oči Vaše pohádkové,
mru v sladké mdlobě, v závrati zas nové,
v nich příslib kyne slastného mi štěstí,
jenž v loktech Vašich ráj mi čarný věstí.

Plá úbělem to Vaše bílé tělo,
jež v extasi se v náruči mé chvělo,
svit strouc v mou šerou jizbu lunojasný.
Kdy smím být s Vámi, drahá, zase šťastný?

TOBĚ.

Tvým zjevem zmámen v marné touze mru,
bych měl Tě celou v nahé bílé kráse.
Proč bezcitnou tak hraješ se mnou hru,
mne cudně odpuzujíc, vábíc zase?

Že před Tebou jsem jiné lásky měl,
proč tajit hříchy, jež jsou přirozeny?
V Tvou náruč dávno raději bych spěl
a složil hlavu v klín Tvůj vytoužený!

Jsem příliš hrd, než bych se spokojil
Tvým přátelstvím jen, platonickým darem.
Nač tlumit krve žár, jenž tryská z žil,
nač ověšovat morálky se cárem?!

SVÝM SLIČNÝM ZJEVEM...

Svým sličným zjevem hned's mne zaujala,
když poprvé jsem, drahá, Tebe zřel,
mít Tebe celou žádost ve mně vzplála,
že v žhavé touze po Tobě jsem mřel.

Tvář Tvoje jemná, ušlechtilé tahy,
Tvé útlé formy, poupě v rozpuku,
ký div, že obraz Tvůj mi tolik drahý,
že celuji jej srdce za tluku.

Tvá dívčí cudnost, ostych uzardělý,
když zlehka jsem Tvou ručku políbil,
já hříšně tolik byl jsem rozechvělý
a krev mi prudká řinula se z žil.

Oh, panenské Tvé tílko svým smět zváti,
svou bídnou duši dal bych peklu v ráz,
však než mne všecka muka pekel schvátí,
chci nádheru pít tílka Tvého krás!

PO TOBĚ MÉ SRDCE PRAHNE V TOUZE.

Po Tobě mé srdce prahne v touze,
vášnivě vře v žilách moje krev,
myšlenek proud u Tebe dlí pouze,
s Tvojí splývá bytost moje dlouze,
Tobě platí bouřný tep mých cév.

S Tebou, oddanosti stělesněná,
o štěstí bych žít chtěl čarný sen,
ráj mi stvoříš, milka má a žena,
milovaná, sotva teprv zřená,
nejdražší mi pod sluncem z všech žen!

PÍSEŇ KU CHVÁLE MILÉ.

Jako by mi učaroval očí Tvojich třpyt,
    jak bych krásou Tvojí, dítě,
    zmámen byl a zpit.

Madonny rys kolem úst Tvých vlahý, zvroucnělý,
dal mi tušit nejžhavější
rtů Tvých pocely.

Tvoje útlé tílko v duchu tisknu na svou hruď.
Nevěrec — se k Tobě modlím:
milkou v skon mi buď!

ŠLA BYCH K TOBĚ, ALE JÁ SE BOJÍM...

Šla bych k tobě, ale já se bojím,
o panenskou mou jde nevinu,
touhu tvoji v objetí až zkojím,
studem nad svým pádem zahynu!"

— Nejsem, děvče, brigant ani pirát,
nejsem lupič, lotr ani vrah,
nenech mne však v marné touze zmírat,
je-li můj Ti život trochu drah!

Ždám Tě celou v božské nahé kráse,
srdce Tvé i tílko nádherné,
ve Tvých loktech svět mi eden zdá se,
bez Tvé lásky hoře bezměrné.

PÍSEŇ SRPNOVÉHO VEČERA.

Nádherný večer byl srpnový,
k milostným stvořený hrám.
Kdož moji radost vši vypoví:
Pánbů mi poslal Tě sám!

V příslibu očí Tvých blankytných
kynula ráje mi slast,
měl bych se v lesku snad očí Tvých
v záletných výpočtech zmást?

Slíbil jsem slovem Ti závazným,
zcela že hodný chci být.
Věřila slepě Jsi slovům mým,
v síňku mou svolila jít.

Vášnivě těla v se přissáta...
Ňader Tvých líbal jsem sníh...
O štěstí zpívala komnata
milenců přeblažených...

Z MILOSTNÉHO DOPISU.

Nepřišlas, ač Jsi mi dala
slavnostní, čestný Svůj slib.
Poslalas pouze mi dopis.
Zdá se, že bylo by líp,

kdybys, má rozmilá, sama
za šera vklouzla v můj byt,
v útulné garconské jizbě
se mnou si pohovořit.

V listě Tvém divný je passus
o stycích platonických.
Nejsem přec naivní hošík,
z let jsem už ze mladických,

kdy mi snad postačil pocel
po vášni lačnících úst.
Během let, žel, přiznat musím,
strašně jsem ve mravech zpust'.

Jiným přej srdce i duši!
Já však chci tílko Tvé mít,
z ňader Tvých pupenů růžných
omamnou rozkoš chci pít!

JARNÍ VÝLET.

Parníčkem jeli jsme hodinu
na Božíhodovou neděli.
Protože nemáme rodinu,
sami jsme na lodi seděli.

V nejbližší zahradní hospodě
v Zátiší slavně jsme přistáli,
při skvostné jarní pohodě
černé a s máslem chléb snídali.

Slunce jak v červenci pražilo,
nad námi zpívali skřivani,
něco nás tajemně vábilo
zatoulat kamsi se do strání.

Opodál kyne, hle, lesík nám.
Přes meze, přes luka kráčíme.
Plán svůj už promyšlen dobře mám.
Za chvíli v mechu si hovíme.

V posvátné ticho jen tíkne pták.
Nad hlavou včelka jen zabzučí.
„Což kdybych nahou Tě zlíbal tak,
Bóžo má, v žhavé své náruči?“

Láska má něžně mne objala,
jak by mi říc' chtěla lichotky:
— Vědět to, jistě bych nevzala
na výlet reformní kalhotky!

MILOSTNÝ PŘÍBĚH.

Na včerejšek tři jsem smluvil schůzky:
v šest, pak v sedm a pak o půl osmé.
Je to terén nebezpečně kluzký,
na němž bídně sejdem, mrzcí kdo jsme
tak, že za večer třem dívkám o čest,
o panenství ukládáme hříšně.
Venuši jsem všechny pozval v počest,
trojím obětním se darem pyšně.
Bylo šest, když žák můj vešel právě.
Sotva used' však, když kdosi klepá.
Ve dveřích se zjeví v plné slávě
fešná Mizzi, kyprá děva lepá.
Nutné rozuzlení situace:
Oželel jsem raděj sobotáles,
než bych zřek' se příjemné tak práce,
při níž lehce zapomínáš svůj dales.
Poroučel se žák můj, prose, smí-li
v osm s námi na Filharmonii.
Ujednáno. Krásnou Mizzi v chvíli
vášnivě jsem tisk', že posud bijí
skráně moje prudce při vzpomnění
na opojně sladkou lázeň žhavou,
po níž umdléval jsem v roztesknění
nad trysknuvší z těla žití lávou...

NEDĚLNÍ ODPŮLDNE.

Taková šeredná neděle,
venku jak z konve se lije,
v náladě trochu být veselé,
vylez' bych jistě hned z postele.
Kam však, když počasí psí je?

O tom když vážně tak rozjímám,
na dvéře ťuká kdos lehce.
V negližé probůh mám otevřít sám?
Srdnatě „vstupte!“ zavolám.
Mně z postele věru se nechce.

Na prahu dívčina nejprve
stanula, v loži mne vidí.
Zardělá byla až do krve,
návštěvou přišla dnes poprvé,
chápu, proč tolik se stydí!

„Zůstaň jen, rozmilá kočičko!“
Slíbila sečkati chvilku.
Zdráhala sice se maličko.
Později jsem líbal ji na líčko,
tiskl se k jejímu tílku.

Nádherná byla to neděle,
strávená v pokoji s milou.
Není mše slavnější v kostele,
než když ti milenka vystele
tílkem svým peřinu bílou.

ÚTĚCHA MILÉ.

Každý večer, když se sešeří,
vklouzne tiše milá v jizbu moji,
delikátní příkrm k večeři
nádherné mi tílko její strojí.

Co mi při mdlém lampy svitu dí,
nehodí se pro veřejnost ani;
v rozpacích se celá studem rdí,
dívčí ostych zjevit vše mi brání.

„Jestli prý dostane děťátko,
následkové chybného to kroku…
— Nemůž' případ nastat za krátko,
nejdříve tak za tři čtvrtě roku.

Do té doby chci Tě milkou mít.
Měla-li bys být však slečnou — matkou,
může přec se případ přihodit —
malou moji žínkou budeš sladkou!

PÍSEŇ MÝM LÁSKÁM.

Nechce se mi ještě rozloučit se
    s rudých máků planoucími
    Byl by život chudičký a kletý,
kdybych s jednou jen měl spokojit se.

Proto k hrudi své dnes Bóžu vinu,
zítra Růža rty mi v ústret špulí,
pozítří se Máňa ke mně tulí,
čtvrtý den u Magdy nožek hynu.

Kajícně se zpátky vracím k Bóže,
věrnosť Růže přísahám však k smrti,
příští den mne Magda v loktech drtí;

žehnám Ti i za Magdu, ó Bože!
Všechny je však pošlu brzy k čertu —
protože mám novou Lásku: Bertu.

PROČ JSEM SE STĚHOVAL.

Do října jsem bydlel v jednom domě
v ulici, jež ošklivý má zvuk.
Bludný chodec jde tu ku pohromě,
v každém domě nevěstek je pluk.

Ulice ta na Bojišti sluje,
zná ji v Praze každý záletník.
Lásky lačný se tu zastavuje,
dostane ji levně — za zlatník.

Nejsem sice mravokárce žádný,
morálku svou vlastní zdravou mám,
nepřítel však trumf má v ruce pádný,
zmíní-li se jen, kde zůstávám.

Doznávám, že holky jsem si vodil
za dne, večer v garconský svůj byt;
s těmi sklony jsem se nenarodil,
mám však vyvinut zvlášť erotický cit.

Tuhle mi však řekla moje milá,
naposledy že je u mne teď,
kategoricky pak poručila,
bych dal z bytu ihned výpověď.

Tož jsem na pokyn své sladké Bóži
z Bojiště se v říjnu stěhoval,
hanebné se zprávy o mně množí:
orgie prý jsem tam pěstoval.

Sypu popel na svou hříšnou hlavu,
ač jsem nad sebou sám zlomil hůl.
Dobrodružstvím vděčím svoji slávu,
vyplnila žití mého půl.

ŠACH MAT!

Šla majestátně kolem,
    že vzplál mé krve žeh,
    když zřel jsem hradby ňader,
vnad její soujem všech.

V ty její plné tvary
se vpíjel chodců hled,
že spit a zmámen každý
jí srdce v plen dal hned.

A v čtvrthodině šťastně
jsem pevnost onu ztek'.
 Ač zdráhala se cudná,
já nedbal na nářek.

Prý se mnou zradu páše,
prý muž ji zabije,
když — kukavice — se mnou
mu děcko povije.

V sled hradby povolily,
já šach dal královně,
však po útoku trojím
mat děsný ona mně!

DON JUAN ZPÍVÁ.

Co lásek měl jsem! Nejmíň něco ku stu,
jak ta či ona skřížila mi cestu,
   ať útlá byla, jako sosna štíhlá,
jak vábný motýl kolem mne se mihla,

ať měla svůdné plné kypré formy,
mně lhostejný byl světa mrav a normy,
pro smyslů záchvěv zcela dobrá byla,
mši Venušinu by si odsloužila.

A s lehkým srdcem řek' jsem na rozchodnou:
„Má duše s Tvojí sotva as se shodnou.
Snad jiný muž se lépe hodí k Tobě.
Nač otravovat vzájem život sobě?"

A k této písni s mnohou variací
jsem v moll i dur si poctivou dal práci.
Vy, kteří soudit zločiny mé chcete,
zda čist kdo z Vás a hříchu prost, nuž rcete!

OBSAH:

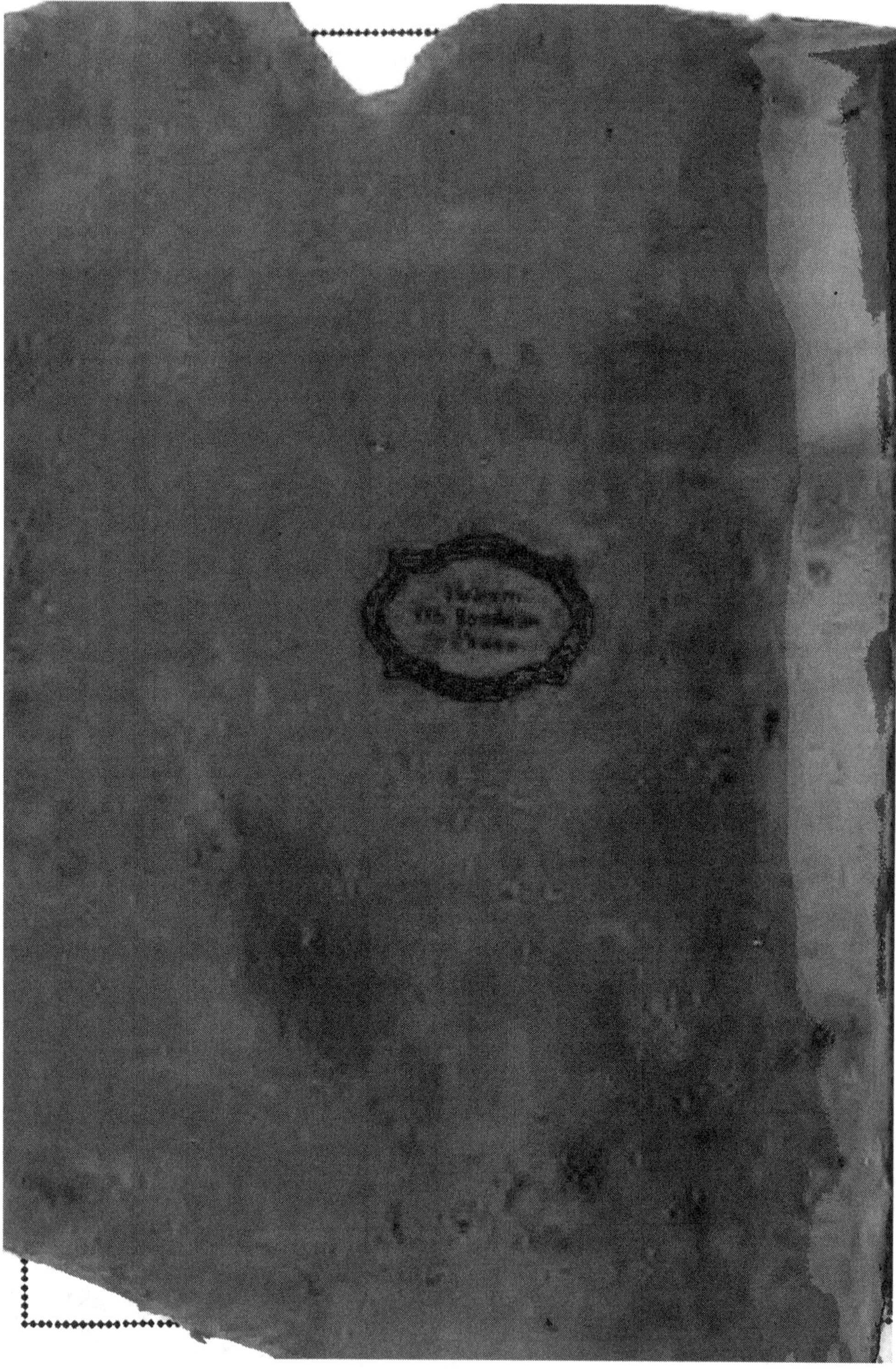